Le médaillon de Mathilde

Illustrations de
Luc Chamberland

Inspiré de la série télévisée Kaboum,
produite par Productions Pixcom inc.
et diffusée à Télé-Québec

la courte échelle

Les éditions de la courte échelle inc.
5243, boul. Saint-Laurent
Montréal (Québec) H2T 1S4
www.courteechelle.com

Révision :
Nicolas Gisiger et André Lambert

Conception graphique de la couverture :
Elastik

Conception graphique de l'intérieur :
Émilie Beaudoin

Infographie :
Nathalie Thomas

Coloriste :
Marie-Michelle Laflamme

Dépôt légal, 3e trimestre 2008
Bibliothèque nationale du Québec

D'après la série télévisuelle intitulée *Kaboum* produite par Productions Pixcom Inc. et télédiffusée par Télé-Québec.

La courte échelle reconnaît l'aide financière du gouvernement du Canada par l'entremise du Programme d'aide au développement de l'industrie de l'édition pour ses activités d'édition. La courte échelle est aussi inscrite au programme de subvention globale du Conseil des Arts du Canada et reçoit l'appui du gouvernement du Québec par l'intermédiaire de la SODEC.

La courte échelle bénéficie également du Programme de crédit d'impôt pour l'édition de livres – Gestion SODEC – du gouvernement du Québec.

Catalogage avant publication de Bibliothèque et Archives nationales du Québec et Bibliothèque et Archives Canada

Aquin, Emmanuel

Kaboum

(Série La brigade des sentinelles ; t. 10)
Sommaire: t. 10. Le médaillon de Mathilde.
Pour enfants de 6 ans et plus.

ISBN 978-2-89651-061-0

I. Chamberland, Luc. II. Titre. III. Titre: Le médaillon de Mathilde.
IV. Collection : Aquin, Emmanuel. Série La brigade des sentinelles.

PS8551.Q84K33 2007 jC843'.54 C2007-942059-1
PS9551.Q84K33 2007

Imprimé au Canada

Emmanuel Aquin

Le médaillon de Mathilde

Illustrations de
Luc Chamberland

la courte échelle

Les Karmadors et les Krashmals

Un jour, il y a plus de mille ans, une météorite s'est écrasée près d'un village viking. Les villageois ont alors entendu un grand bruit: *kaboum!* Le lendemain matin, ils ont remarqué que l'eau de pluie qui s'était accumulée dans le trou laissé par la météorite était devenue violette. Ils l'ont donc appelée... *l'eau de Kaboum*.

Ce liquide étrange avait la vertu de rendre les bons meilleurs et les méchants pires, ainsi que de donner des superpouvoirs. Au fil du temps, on a appelé les bons qui en buvaient les *Karmadors*, et les méchants, les *Krashmals*.

Au moment où commence notre histoire, il ne reste qu'une seule cruche d'eau de Kaboum, gardée précieusement par les Karmadors.

Le but ultime des Krashmals est de voler cette eau pour devenir invincibles. En attendant, ils tentent de dominer le monde en commettant des crimes en tous genres. Heureusement, les Karmadors sont là pour les en empêcher.

Les personnages du roman

Magma (Thomas)

Magma est un scientifique. Sa passion : travailler entouré de fioles et d'éprouvettes. Ce Karmador grand et plutôt mince préfère la ruse à la force. Lorsqu'il se concentre, Magma peut chauffer n'importe quel métal jusqu'au point de fusion.

Gaïa (Julie)

Gaïa est discrète comme une souris : petite, mince, gênée, elle fait tout pour être invisible. Son costume de Karmadore comporte une cape verdâtre qui lui permet de se camoufler dans la nature.

Mistral (Jérôme)

Mistral est un beau jeune homme aux cheveux blonds et aux yeux bleus, fier comme un paon et sûr de lui. Son pouvoir est son supersouffle, qui lui permet de créer un courant d'air très puissant.

Lumina (Corinne)

Lumina est une Karmadore solitaire très jolie et très coquette. Elle est capable de générer une grande lumière dans la paume de sa main. Quand Lumina tient la main de son frère jumeau, Mistral, la lumière émane de ses yeux et s'intensifie au point de pouvoir aveugler une personne.

Xavier Cardinal

Xavier est plus fasciné par la lecture que par les sports. À sept ans, le frère de Mathilde est un rêveur, souvent dans la lune. Il est blond et a un œil vert et un œil marron (source de moqueries pour ses camarades à l'école). Xavier, qui est petit pour son âge, a hâte de grandir pour devenir enfin un superhéros, un pompier ou un astronaute.

Mathilde Cardinal

C'est la grande sœur de Xavier et elle n'a peur de rien. À neuf ans, Mathilde est une enfant un peu grande et maigre pour son âge. Sa chevelure rousse et ses taches de rousseur la complexent beaucoup. En tout temps, Mathilde porte au cou un médaillon qui lui a été donné par son père.

Pénélope Cardinal

Pénélope est la mère de Mathilde et de Xavier. Cette femme de 39 ans est frêle, a un teint pâle et une chevelure blanche. Elle est atteinte d'un mal inconnu qui la cloue dans un fauteuil roulant.

Les personnages du roman

Le maire

Gildor Frappier est le maire de la petite ville. Il habite seul avec ses deux chats dans une maison au bord de la rivière. C'est un homme tranquille qui aime le jardinage. Il ne ferait pas de mal à une mouche.

Shlaq

Ce terrible Krashmal s'habille comme un motard. Il est trapu et a la carrure d'un taureau – il a d'ailleurs un gros anneau dans le nez, et de la fumée sort de ses narines lorsqu'il est énervé. De ses mains émanent des rayons qui ont pour effet d'alourdir les gens : il peut rendre sa victime tellement pesante qu'elle ne peut plus bouger, écrasée par la gravité.

Fiouze

Fiouze est une créature poilue au dos voûté et aux membres allongés. Il ricane comme une hyène. C'est le plus fidèle assistant de Shlaq.

Docteur Gorgon

Ce terrible Krashmal est un grand criminel et un adversaire redoutable. Grâce à son pouvoir, celui de paralyser les gens avec son regard, il réussira une chose impensable : voler de l'eau de Kaboum !

Professeur Pygmalion

Ce professeur du Grand Collège Krashmal a un cœur en pierre et est âgé de plus de 500 ans ! C'est un des êtres les plus cruels, les plus machiavéliques et les plus craints – même par les Krashmals ! Son pouvoir est de donner la vie aux statues en tous genres.

Chapitre 1

L'heure de la fermeture du musée d'histoire des Karmadors approche. Les familles quittent lentement les lieux, sous le regard bienveillant des gardiens.

L'établissement contient une foule de trésors précieux amassés par les Karmadors au fil des siècles.

On y trouve un diamant noir ayant appartenu à Kroola, le plus terrible des Krashmals vikings. On peut y voir aussi le lasso de Perceval le Karmador, le sabre du pirate krashmal

Barbeverte et la canne du vampire krashmal Bélial.

Les portes du musée se referment derrière le dernier visiteur, un homme grand et mince portant de petites lunettes rondes.

Le chef de la sécurité s'installe dans son bureau, prêt à activer le système d'alarme.

Soudain, il sursaute en entendant un fracas terrible. Il consulte les détecteurs de chaleur, qui lui permettent de voir tout être vivant dans le musée. Mais ces appareils ne montrent rien.

Le bruit continue. On dirait le son de vitrines fracassées. Le chef de la sécurité s'inquiète. Il scrute les caméras de surveillance. Il aperçoit une silhouette. Il s'empare de son communicateur pour prévenir les gardiens :

— Attention ! Il y a quelqu'un dans le musée !

Le chef quitte son bureau et court à la rencontre de l'intrus. Près de la sortie du musée, il tombe nez à nez avec un monstre tellement terrifiant qu'il s'évanouit de frayeur.

ϟϟϟ

Au quartier général des Karmadors de la brigade des Sentinelles, Magma expose à ses collègues le fruit de ses recherches.

Gaïa, Mistral, Lumina, Pénélope et les enfants l'écoutent attentivement en regardant un écran où défilent des photos d'archives.

— Après avoir lu le journal de Pyros, j'ai enquêté sur les événements qui l'ont amené à cacher de l'eau de Kaboum dans le médaillon qui appartient à Mathilde.

La fillette aux cheveux roux sourit fièrement, le pendentif bien en évidence autour du cou. Magma poursuit:

— Le document contient des informations importantes sur la cachette où se trouve l'eau de Kaboum. Si les Krashmals mettent la main sur ce texte, l'avenir de l'humanité sera menacé. Car comme vous le savez, un Krashmal qui boit ce liquide devient invincible.

— As-tu demandé à STR d'authentifier le document? demande Lumina.

— Oui, il est authentique, répond Magma. De plus, les rapports d'Éclipse, le chef des Karmadors de l'époque, confirment les faits. En 1871, le docteur Gorgon et son assistant, Blizzard, ont volé deux éprouvettes d'eau de Kaboum. Pyros a neutralisé les Krashmals et a ramené les flacons. L'un était rempli et scellé, et l'autre était vide — son contenu avait été bu par le docteur Gorgon.

L'écran montre de vieilles photos de Pyros, de Gorgon et de Blizzard.

— Je sais que Gorgon s'est transformé en statue de pierre, mais qu'est devenu Blizzard après cette histoire? demande Mistral.

— Pyros et Mélopée lui ont fait tout oublier de son crime. Il a continué à se battre contre les Karmadors jusqu'en 1882. Puis, pendant un combat contre Perceval au pôle Nord, Blizzard est tombé dans l'eau glacée, où il a disparu à tout jamais.

— Et le journal de Pyros dit où se trouve la cachette de l'eau de Kaboum ?

— Oui. Il mentionne que la cruche d'eau est cachée dans le sous-sol d'un magasin général, qui est devenu depuis l'Épicerie Bordeleau. C'est pourquoi nous allons détruire le document.

Xavier se dresse aussitôt:

– Oh non! Pyros est mon arrière-arrière-arrière-grand-père! Vous n'avez pas le droit de détruire son journal!

Pénélope calme son fils:

– La sécurité des gens est plus importante que du papier, mon chéri.

Magma approuve:

– J'ai demandé à STR la permission avant d'agir. Je lui ai également envoyé les résultats de mon analyse microscopique du médaillon. STR nous dira sous peu si le pendentif recèle réellement de l'eau de Kaboum. Je convoquerai une réunion dès qu'il y aura du nouveau.

Les Sentinelles quittent la salle. Mistral en profite pour sortir une pomme de sa poche. Il l'essuie sur sa manche. Mais avant de la croquer, il demande à Gaïa:

– Est-ce que tu peux parler aux fruits? Parce qu'il y avait un ver dans la dernière pomme que j'ai mangée et je veux m'assurer qu'il n'y en a pas dans celle-ci.

Gaïa soupire :

– Je parle aux plantes, pas aux fruits.

– Dommage. Ce serait bien pratique.

ϟϟϟ

Dans la base secrète des Krashmals, installée chez le maire Frappier, Fiouze trépigne :

– J'ai bien hâte que le professseur arrive !

– Arrête de tourner en rond, tu donnes le tournis à Shlaq. Pygmalion va arriver d'une minute à l'autre, cesse de t'impatienter !

On sonne à la porte. Fiouze se jette dans l'entrée pour répondre :

– C'est lui ! Il est là ! Le professseur Pygmalion est là !

Un homme grand et mince se dresse

devant eux. Son visage austère et sa petite barbichette lui donnent un air diabolique. Il pose son sac de voyage en cuir et annonce, derrière ses petites lunettes rondes :

— Je suis le professeur Pygmalion.

— Bienvenue, professsseur ! Ma mère me racontait vos aventures quand j'étais tout petit ! C'est un honneur pour moi de vous ssserrer la patte !

Fiouze secoue énergiquement la main du Krashmal. Shlaq arrive et pousse son assistant hors du chemin.

— Shlaq te salue, Pygmalion. Ne fais pas attention à l'assistant de Shlaq, il est souvent trop enthousiaste.

Pygmalion lance un regard froid à Shlaq:

— J'ai parcouru des milliers de kilomètres pour venir ici. Je n'ai pas de temps à perdre. Sais-tu où se trouve le document que je cherche, le journal de Pyros?

— Il est à la ferme, dans le quartier général des Sentinelles.

Fiouze tend la main:

— Donnez-moi votre manteau, professseur. Assseyez-vous! Voulez-vous que je vous prépare quelque chose? Je fais du très bon sssirop de sssangsssue!

À la ferme, Xavier lit une bande dessinée de superhéros: les aventures de Geyser contre Beurk.

Mais il a peine à se concentrer sur sa lecture:

— Je ne peux pas croire que les Karmadors vont détruire le journal de Pyros! se dit-il.

Il lui vient alors une idée:

— Ils ne pourront pas le détruire s'ils ne le trouvent pas!

Le garçon quitte sa chambre en vitesse.

ϟϟϟ

Dans le salon, chez les Krashmals, Pygmalion goûte au sirop de sangsue de Fiouze.

– Professsseur, professsseur! sussure le Krashmal velu. Comment nous avez-vous trouvés?

– Une voyante du clan du Renard a eu une vision. Elle m'a contacté pour me dire que le journal de Pyros a été découvert près d'ici.

Fiouze sourit, tout content de parler à son idole:

– Professsseur, est-ce qu'il est vrai que vous avez plus de 500 ans?

Pygmalion hoche la tête:

– Oui. Je suis né juste avant la découverte de l'Amérique par Christophe Colomb.

Fiouze tape dans ses mains:

– C'est formidable, professsseur! Quel est votre sssecret?

– Je me suis fait retirer le cœur il y a quatre siècles pour le faire remplacer par un cœur de pierre. Comme mon pouvoir est d'animer les statues en tous genres, j'ai animé ce cœur de pierre pour qu'il batte pendant une éternité sans se fatiguer.

– Qu'est devenu votre vrai cœur? s'inquiète Fiouze.

– Il est en sécurité dans une petite boîte indestructible, au fond de ma poche. S'il lui advenait un malheur, je m'éteindrais aussitôt.

Fiouze est impressionné. Pygmalion se tourne vers Shlaq:

— Nous allons recevoir de la visite d'un ancien ami qui nous prêtera main-forte au cours de cette mission. Comme il se déplace lentement, il arrivera dans quelques heures. Il était trop lourd pour voyager en voiture avec moi.

— De qui s'agit-il ? grogne Shlaq. Nous avions pourtant convenu de garder cette mission secrète !

Pygmalion sourit :

— Ne t'en fais pas, c'est un ami très proche. Il s'agit du docteur Gorgon !

Chapitre 2

À la ferme, Xavier arrive dans la grange, tout essoufflé. Personne ne l'a vu courir avec le journal de Pyros sous son chandail. Tout le monde croit que le document est en sécurité dans le pupitre de Magma.

Le garçon cache le cahier de cuir dans une vieille paire de bottes de pluie, sous une bâche.

Son regard se pose alors sur une grande colonne de bois couchée le long du mur. Il s'agit d'un très ancien totem, ayant appartenu aux ancêtres de Pénélope.

Depuis que Xavier a lu les aventures de Mélopée, son arrière-arrière-arrière-grand-mère maternelle, il s'intéresse beaucoup aux Amérindiens.

Il lui vient alors une idée !

ϟϟϟ

Dans la base secrète des Krashmals, un homme de pierre portant un chapeau haut de forme arrive devant la porte. D'un coup de poing, il la fracasse. Fiouze court se cacher dans le salon. La statue se dresse devant Shlaq. Elle bouge !

Le professeur Pygmalion vient à leur rencontre. Shlaq crache un nuage de fumée par les narines :

– Ce gros caillou ambulant vient de détruire la porte de Shlaq !

Pygmalion sourit :

— Ce n'est pas sa faute. Les statues que j'anime ne pensent pas, elles ne font qu'obéir à mes ordres. Quand je suis allé au musée d'histoire des Karmadors pour rendre la vie à celle-ci, je lui ai demandé de venir me rejoindre ici. J'ai oublié de lui dire de ne pas casser la porte.

Méfiant, Fiouze scrute de loin l'homme de pierre. Pygmalion est amusé:

– De son vivant, Gorgon pouvait paralyser les gens grâce à son regard. En 1871, il a réussi à voler de l'eau de Kaboum. Quand il a bu ce liquide précieux, il est devenu invincible et son pouvoir est devenu mortel. Son rayon transformait ses victimes en statues de pierre!

– Que lui est-il arrivé? demande Fiouze, encore caché sous la table du salon.

– Gorgon a tenté de pétrifier une Indienne du nom de Mélopée, qui appartenait au clan du Cardinal. Mais lorsqu'il a lancé son rayon vers elle, elle s'est défendue avec un miroir. Le rayon a rebondi au visage de Gorgon, et le pauvre Krashmal s'est transformé lui-même en statue de pierre. Les Karmadors ont conservé cette statue et l'ont placée dans leur fameux musée.

– Et tu l'as animée pour qu'elle nous prête main-forte! rugit Shlaq, qui a compris les intentions du professeur.

Pygmalion hoche la tête:

– Oui. Gorgon était mon protégé. C'est le meilleur élève que j'ai eu.

– Grâce à lui, nous allons terrassser les vilains Karmadors! lance Fiouze.

– Et en attaquant la ferme, Gorgon pourra enfin se venger en se débarrassant de la dernière shamane du clan du Cardinal, ajoute le professeur.

Fiouze est intrigué:

– La sssorcière Pénélope est une Cardinal? Je ne le sssavais pas! Elle est toute malade, paralysée dans un fauteuil roulant!

Pygmalion a un sourire mauvais:

– Je le sais. C'est dans mon laboratoire qu'on a développé la maladie qui l'afflige.

ϟϟϟ

À la ferme, les Sentinelles travaillent toutes ensemble à un nouveau projet: l'érection du vieux totem devant la maison.

La colonne, que les Karmadors hissent à l'aide de câbles et de poulies, fait plus de cinq mètres de hauteur.

Elle a été sculptée dans un tronc d'arbre géant. Au sommet, on a placé une immense tête de cardinal, un oiseau avec un grand bec et des ailes déployées. Puis, en dessous, deux visages représentent les esprits protecteurs du clan du

Cardinal : le raton laveur et l'ours.

— Tu as eu une bonne idée, dit Pénélope à son fils, sur le perron. Si je n'étais pas dans ce satané fauteuil, je serais en train d'aider nos amis à installer le totem.

— C'est notre héritage familial, après tout ! ajoute Mathilde.

— Et en plus, il est super cool ! dit fièrement Xavier.

ϟϟϟ

Pendant ce temps, chez les Krashmals, Fiouze tourne autour du professeur Pygmalion :

— Professsseur, professsseur, voulez-vous que je vous prépare des sssauterelles sssautées au sssavon ? Je peux ausssi vous faire du jus de limace, sssi vous voulez.

— Je n'ai plus faim. Arrête de me proposer à manger! grogne le Krashmal au cœur de pierre.

Shlaq crache de la fumée:

— La statue de Gorgon bouge trop lentement pour que nous puissions surprendre les Sentinelles. Les détecteurs de mouvement de leur quartier général vont le repérer et sonner l'alarme!

Pygmalion n'est pas inquiet:

— Il faut neutraliser ces détecteurs.

Shlaq réfléchit un instant. Puis il lance:

— Shlaq a une idée! Nous allons utiliser le robot du maire!

Pygmalion fronce les sourcils:

— De quoi parles-tu ?

— Nous sommes dans la maison du maire Frappier. Nous l'avons endormi et enfermé dans un placard. Shlaq l'a remplacé par un robot qui fait tout ce qu'on lui dit de faire.

— Je vois, dit Pygmalion. Tu es un Krashmal malin, Shlaq.

ϟϟϟ

À la ferme, l'installation du totem devant la maison est terminée. Sa silhouette colorée se dresse fièrement entre deux grands arbres. Les Sentinelles admirent leur travail.

La voiture du maire Frappier s'arrête alors devant le perron. Le magistrat en débarque. En fait, il ne s'agit pas du véritable maire, mais plutôt d'un robot qui lui est parfaitement identique et qui est contrôlé par Shlaq.

Mout et Sheba, les chats de la ferme qui appartenaient autrefois à M. Frappier, ont le poil hérissé en voyant leur ancien maître.

— Monsieur le maire, que pouvons-nous faire pour vous? demande Magma en allant l'accueillir.

— Je suis venu vous avertir, bzzt! crache le robot. Votre base de Karmadors viole plusieurs règlements municipaux! Vous devez enlever vos détecteurs de mouvement, ils nuisent au paysage. Bzzt!

Gaïa fronce les sourcils :

– Allons donc ! Nous les avons placés de manière à ce qu'ils soient presque invisibles !

Le robot du maire est intransigeant :

— Le règlement municipal 197-4-10, article 5, stipule qu'aucun système électrique qui sort de l'ordinaire ne peut être installé sans l'accord préalable de la mairie.

— Mais vous nous avez donné votre accord en personne ! réagit Magma. Vous m'avez clairement dit que nous pouvions faire ce que nous voulions !

— Il me faut une preuve écrite. Bzzt !

Gaïa s'avance vers le maire mécanique :

— Vous êtes malhonnête ! Vous savez très bien que les Sentinelles sont là pour protéger la population et que nos intentions sont honorables !

— Je vous ordonne de débrancher immédiatement vos détecteurs. Bzzt ! Vous pourrez contester ma décision devant le juge !

Magma soupire :

— Nous sommes obligés d'obéir, monsieur le maire, car les Karmadors respectent toujours la loi. Mais vous n'avez pas fini d'entendre parler de nous!

Le magistrat remonte dans sa voiture et part sans saluer personne.

Les Sentinelles se regardent, ahuries par la rudesse de l'homme. Magma hausse les épaules:

– Nous allons respecter sa demande pour le moment. Mais dès demain, nous rendrons visite au juge pour éclaircir cette affaire!

Gaïa secoue la tête:

– Il y a quelque chose qui ne tourne pas rond... Je trouve cet homme... mécanique.

– Bah, dit Mistral. Peut-être qu'il est de mauvaise humeur.

– Même ses anciens chats se méfient de lui! ajoute Gaïa.

ϟϟϟ

À la maison du maire, Shlaq surveille son écran, qui diffuse en direct tout ce que voit le robot:

— Ça y est! Notre marionnette a bien accompli sa mission! Les Sentinelles sont vulnérables à notre attaque! Nous pouvons envoyer Gorgon immédiatement!

Pygmalion se lève et touche la statue de Gorgon sur l'épaule. Celle-ci obéit au professeur et sort de la maison en marchant lentement.

Une fois l'homme de pierre parti, Shlaq prend le bras de Pygmalion:

— Shlaq doit préciser une dernière chose avant notre départ. Vous devez vous débarrasser de tous les objets métalliques que vous portez sur vous, car le Karmador Magma a le pouvoir de chauffer le métal. Shlaq a déjà remplacé les boutons et les fermetures de ses vêtements par d'autres en plastique. Il porte même un anneau de plastique dans le nez!

Pygmalion est contrarié :

– Mon cœur est dans un contenant métallique. Et comme il baigne dans un acide spécial, aucun plastique ne saurait le contenir. Il me faut un récipient de verre très résistant.

– Shlaq a ce qu'il faut !

Chapitre 3

Le soir, à la ferme, Pénélope demande à ses enfants d'aller se coucher.

Mathilde rechigne :

– J'aimerais savoir ce que pense STR de mon médaillon. Je ne peux pas me coucher sans savoir si j'ai oui ou non de l'eau de Kaboum autour du cou !

Pénélope comprend bien sa fille :

– Chérie, à l'heure qu'il est, je crois que STR n'est plus...

Magma arrive de la salle de contrôle et les interrompt :

— Ça y est! STR vient de m'envoyer le résultat de ses analyses. Le médaillon de Mathilde contient bel et bien de l'eau de Kaboum!

La fillette saute de joie. Pénélope sourit en la regardant:

— Et maintenant, au lit!

Mathilde est soudain inquiète:

— Si les Krashmals savaient ça, ils ne me laisseraient pas dormir en paix!

Magma la rassure:

— Ne t'en fais pas, notre quartier général est très bien défendu. Nos détecteurs de mouvement sont peut-être inactifs, mais nos détecteurs de chaleur nous avertiront dès qu'une forme de vie plus grosse qu'un chien s'approchera de la propriété !

ϟϟϟ

Dans le champ en face de la ferme, la statue du docteur Gorgon avance en laissant de lourdes traces sur le sol. Elle marche lentement vers la maison décorée d'un totem.

L'homme de pierre est froid, aucun détecteur de chaleur ne remarque sa présence. Gorgon atteint le perron et grimpe les marches.

D'un coup de poing, il fracasse la porte en acier!

Cette fois, une alarme retentit, et toutes les lumières de la maison s'allument en même temps. Gorgon entre en faisant craquer le plancher.

Mistral est le premier à le voir. Le Karmador aux cheveux blonds reconnaît aussitôt la silhouette qu'il a aperçue sur les photos d'archives ce matin:

– On dirait le docteur Gorgon! Mais c'est impossible!

Le Karmador a un hoquet de frayeur en voyant la statue se diriger vers lui. Lumina arrive aussitôt:

– Gaïa! Occupe-toi des enfants! crie la Karmadore tandis que son frère gonfle les poumons.

Mistral émet son supersouffle vers la

statue, espérant la faire basculer. Mais elle est tellement lourde qu'elle ne bouge pas d'un poil. Le Karmador est découragé :

– Je ne peux rien faire contre Gorgon ! Il est beaucoup trop lourd !

– Prends ma main, lance Lumina. Ça va décupler ton pouvoir !

Elle tend ses doigts vers Mistral, qui s'en s'empare aussitôt. Il crache son vent de toutes ses forces sur l'intrus. La statue recule d'un pas… et poursuit son chemin. Rien ne peut repousser l'homme de pierre !

ϟϟϟ

En haut, Gaïa surgit dans la chambre de Xavier.

– Vite ! Évacuation d'urgence !

Le garçon suit la Karmadore au bout du corridor, où les rejoignent Mathilde et Pénélope. Gaïa met la main sur une plaque murale électronique.

Aussitôt, un panneau secret s'ouvre sur un ascenseur. Le petit groupe monte dans la cabine, qui descend au sous-sol.

ϟϟϟ

Magma a rejoint Lumina et Mistral au rez-de-chaussée:

– Il faut attirer la statue loin de la maison!

Les Sentinelles contournent le monstre de pierre, qui leur emboîte le pas.

— Parfait! Ça marche!

Les Karmadors quittent la demeure, suivis par Gorgon.

ϟϟϟ

Au sous-sol, Gaïa guide Xavier, Mathilde et Pénélope vers une petite salle renforcée, la « pièce de sécurité », dissimulée derrière une bibliothèque.

— Restez ici! lance la Karmadore. Tant que vous êtes dans cette pièce, les Krashmals ne peuvent rien contre vous! Moi, je vais aller aider mes collègues!

ϟϟϟ

Dehors, la moto de Shlaq s'arrête devant la ferme. Shlaq, Fiouze et Pygmalion émergent de la cabine du véhicule. Shlaq rugit de plaisir en entendant hurler le système d'alarme :

– Notre Gorgon fait bien son travail ! À nous de le continuer !

– Allons chercher le journal de Pyros tout de suite ! dit Pygmalion en observant la maison à travers ses petites lunettes.

Shlaq soupire :

– Vas-y tout seul. La sorcière a fait des incantations pour empêcher Shlaq et Fiouze d'entrer chez elle.

Pygmalion hoche la tête :

– D'accord. Occupez-vous des Karmadors pendant ce temps !

Les Krashmals courent sans se faire voir vers le quartier général des Sentinelles.

ϟϟϟ

Magma, Mistral et Lumina s'éloignent de la maison, pourchassés par la statue, qui se déplace au ralenti.

Soudain, Magma est atteint en pleine poitrine par le rayon alourdissant de Shlaq, qui surgit de derrière un pommier. Le Karmador tombe au sol. Il commence à peser aussi lourd que la statue!

Mistral souffle dans la direction de Shlaq, mais il est interrompu par les deux mains de Fiouze, qui lui mettent les doigts dans les yeux:

— Au secours! hurle le Karmador.

De son autre main, Shlaq envoie un deuxième rayon, qui touche Lumina. Elle aussi tombe à genoux, terrassée par la gravité. Les trois Karmadors sont neutralisés!

— Alors, les petites Sentinelles! Vous n'êtes pas capables de vous battre contre Shlaq?

Étendu au sol, Magma voit s'approcher la statue de Gorgon. Les pieds de pierre écrasent tout sur leur chemin. À côté de lui, Mistral se débat contre les deux mains de Fiouze. Plus loin, Lumina lutte elle aussi contre le rayon de Shlaq.

Le gros Krashmal éclate de rire devant sa belle victoire. Dans quelques secondes, Gorgon va aplatir les Sentinelles sous ses semelles de pierre.

C'est alors que Gaïa, cachée sous sa grande cape verte, agite ses antennes en direction du pommier. La Karmadore murmure une suggestion à l'arbre…

Soudain, toutes les pommes tombent sur la tête de Shlaq. Le Krashmal cesse d'envoyer ses deux rayons et tente de se protéger de cette avalanche de fruits. Magma et Lumina se

libèrent aussitôt et encerclent Gorgon.

Magma fronce les sourcils:

– On dirait que cette statue est faite de granit ou de basalte, des minéraux qui contiennent des traces de métal comme le fer. Peut-être que... Lumina! Distrais la statue!

La Karmadore projette des rayons lumineux vers Gorgon, qui se tourne vers elle.

Pendant ce temps, Magma en profite pour utiliser son pouvoir et chauffer les particules de fer contenues dans la pierre de la statue.

Il n'a jamais réussi à faire chauffer du minerai. Mais à l'Académie des Karmadors, on lui a dit qu'un jour, s'il maîtrisait bien son pouvoir, il y parviendrait.

Voyant la famille de Pénélope et tous ses amis menacés, Magma est déterminé à arrêter coûte que coûte le monstre. Alors il met toute la gomme!

La statue commence à chauffer. Une fumée s'en dégage. Le Karmador se concentre encore plus. Il se met à transpirer. Il se concentre comme il ne l'a jamais fait de sa vie!

ϟϟϟ

Dans la maison, Pygmalion ouvre tous les tiroirs et renverse tous les meubles de la salle de contrôle pour trouver le journal de Pyros.

— Où est-il, ce satané document! rage le Krashmal.

ϟϟϟ

Dans la pièce de sécurité, Pénélope et ses enfants assistent au combat qui fait rage à l'extérieur grâce aux moniteurs de surveillance.

– Maman, il faut aller les aider! dit Mathilde, en pyjama.

– Pas question. Le professeur Pygmalion est beaucoup trop dangereux! Ma grand-mère m'a parlé de lui quand j'étais petite. Il vaut mieux rester ici et prier pour qu'il ne retrouve pas le journal de Pyros.

– Oh, il ne le retrouvera pas, dit Xavier. Je l'ai caché dans la grange!

ϟϟϟ

Dehors, Gorgon s'agite. L'homme de pierre chauffe tellement qu'il commence à rougir.

Shlaq s'est remis de son avalanche de pommes. Il se relève pour s'attaquer à Magma, mais il se retrouve devant Mistral :

– Pousse-toi, le siffleux ! rugit le Krashmal en tendant la main pour envoyer son rayon.

– Siffleux ? Je vais t'en faire, moi ! s'insurge le Karmador.

Et d'un coup de supersouffle, Mistral fait s'envoler Shlaq ! Le gros Krashmal atterrit dans les arbres, plus loin.

Magma continue à fournir un effort surhumain, en serrant les poings. Son pouvoir fonctionne à merveille : la statue est rouge comme de la lave en fusion ! Mais le Karmador n'en peut plus. Il se concentre tellement qu'il en a le vertige.

La statue pousse un râle d'outre-tombe. Ses doigts enflammés coulent comme la cire d'une bougie. Puis, dans une cascade de flammèches, Gorgon se casse en morceaux!

Tandis que la statue en fusion s'effondre, Magma perd connaissance, terrassé par son effort.

Chapitre 4

Par la fenêtre du salon, Pygmalion aperçoit le docteur Gorgon qui se désintègre en flammes.

— Soyez maudits, Karmadors! Vous avez détruit la statue de mon protégé!

Le Krashmal aux lunettes sort aussitôt de la maison. Il est furieux.

ϟϟϟ

Dans la pièce de sécurité, Xavier et Mathilde voient Pygmalion sortir.

– Mais qu'est-ce qu'il fait? demande Mathilde, intriguée.

– On dirait qu'il se cache derrière le totem! dit Xavier.

– Oh non! fait Pénélope. Pauvres Sentinelles! Vite, les enfants! Il faut aller les aider tout de suite!

– Pourquoi tu dis ça, maman? demandent le frère et la sœur en même temps.

– Je n'ai pas le temps de vous expliquer! Suivez-moi!

ϟϟϟ

Dehors, sous la pleine lune, Lumina s'occupe de Magma, inconscient.

– L'effort l'a complètement vidé. Il faut le mettre à l'abri! s'inquiète la Karmadore.

– Mistral! Lumina! Voilà Pygmalion! crie Gaïa.

Le grand Krashmal se tient debout à côté du totem, les poings serrés:

— Cela fait 500 ans que je lutte contre les Karmadors! Ce n'est pas une petite brigade de campagne qui va triompher de moi!

Pygmalion touche le totem en marmonnant une petite formule.

Soudain, en haut de la colonne, le bec du cardinal s'ouvre: la sculpture pousse un cri qui retentit dans la nuit.

— Le totem s'anime! hurle Mistral, catastrophé.

Sous la tête de l'oiseau de bois, le raton fait claquer ses dents et l'ours rugit. Les petites pattes de la base du totem se déplient, et le pilier commence à se déplacer.

— Il vient vers nous ! crie Lumina.

Soudain, les ailes du totem s'agitent, et le monstre s'élance dans les airs !

C'est à ce moment que Shlaq saute sur Mistral par-derrière !

— Shlaq te tient, sale Karmador !

Lumina réagit aussitôt en bombardant le Krashmal de rayons lumineux aveuglants. Shlaq est neutralisé.

Gaïa saute sur Fiouze et le plaque au sol. Comme le Krashmal velu n'a plus de mains, il ne peut pas se défendre.

Au-dessus d'eux, la silhouette cauchemardesque du totem s'approche pour les détruire !

Lumina continue à bombarder Shlaq de lumière pour le neutraliser. Le totem fonce vers elle.

— Attention ! crie Mistral en sautant sur sa sœur afin de l'enlever du chemin.

Le monstre de bois atterrit dans l'herbe. Puis, avec son bec géant, il attaque les Karmadors. Mistral et Lumina doivent rouler sur le sol pour éviter les coups dévastateurs tandis que l'ours tente de les croquer.

Shlaq éclate de rire en assistant à la scène:

— Alors, le siffleux? Tu as peur d'une statue amérindienne?

Mistral est vexé:

— Cesse de m'appeler le siffleux!

ϟϟϟ

Xavier sort en vitesse sur le perron. Devant lui se dresse le professeur Pygmalion, qui observe avec satisfaction le travail de son monstre de bois. Le garçon tient dans ses mains un cahier de cuir:

— Hep, professeur! C'est ça que vous cherchez?

Le Krashmal ajuste ses lunettes en

apercevant le garçon:

– Le journal de Pyros! Enfin! Donne-moi ça tout de suite, petit garnement!

Pygmalion se lance à la poursuite de Xavier, qui rentre en courant chez lui et se cache dans le salon.

⚡⚡⚡

Dehors, le totem monstrueux donne des coups de bec dans l'herbe et fait claquer ses nombreux crocs. Mistral et Lumina font l'impossible pour l'éviter, mais ils commencent à s'essouffler.

Les deux Karmadors se prennent par la main pour décupler leurs pouvoirs. Mistral souffle de toutes ses forces. Le totem s'envole !

C'est alors que Shlaq envoie son rayon alourdissant sur Lumina. Cette dernière met un genou à terre, neutralisée par le pouvoir du gros Krashmal. Le contact entre les deux jumeaux est coupé, et le souffle de Mistral perd de sa force.

Dans les airs, le totem bat des ailes pour foncer vers les Karmadors.

Mistral se tourne vers Shlaq :

– Laisse ma sœur tranquille, le gros !

Le Karmador se met à siffler. Grâce à son supersouffle, son sifflement devient extrêmement fort. Tout le monde doit se boucher les oreilles, y compris Shlaq. Le totem, lui, se pose pour couvrir ses trois têtes avec ses ailes. Le son est tellement puissant que toutes les fenêtres de la maison explosent.

ϟϟϟ

Dans la maison, Xavier et Pygmalion cessent leur poursuite pour se couvrir les oreilles. Les ampoules et tous les objets en verre se fracassent autour d'eux!

Les lunettes de Pygmalion éclatent en morceaux. Aussitôt, le Krashmal met la main dans sa poche pour toucher le bocal qui contient son cœur. Le récipient est fêlé, mais tient le coup. Le professeur soupire de soulagement.

Le sifflement de Mistral cesse. Le vieux Krashmal reprend ses esprits :

– Où es-tu, petit vaurien ? Donne-moi le journal tout de suite !

Soudain, Pygmalion reçoit un gros dictionnaire sur la tête, lancé par Mathilde, perchée en haut des escaliers. Le Krashmal s'effondre, sonné. Le bocal qui contient son cœur rebondit par terre et se retrouve… devant le fauteuil roulant de Pénélope, cachée dans le corridor.

ϟϟϟ

Dehors, Mistral reprend son souffle. Lumina continue à bombarder Shlaq de lumière. Gaïa lutte contre Fiouze. Et les trois têtes du totem poussent un cri terrifiant.

Mistral n'est plus capable de souffler, il a trop mal aux joues. Il a besoin de se reposer.

Le monstre de bois s'approche de lui. La tête d'oiseau géant tente de lui donner un coup de bec. Le Karmador l'évite de justesse.

Puis les ailes monstrueuses s'agitent comme des bras. Elles frappent Mistral tellement fort qu'il tombe sur le dos, assommé.

Lumina tourne le dos au totem. Elle est trop concentrée pour se rendre compte que la sculpture monstrueuse s'apprête à la croquer avec ses trois gueules! La silhouette gigantesque s'avance vers la Karmadore et prend son élan…

ϟϟϟ

Dans la maison, Pénélope ramasse le bocal qui contient le cœur de Pygmalion. Pendant ce temps, le Krashmal aux lunettes se relève et se frotte la tête. Son regard croise celui de Pénélope:

— Mon cœur ! Rends-le-moi, Cardinal de malheur !

— Alors tu me reconnais ?

— C'est moi qui t'ai cloué dans ce fauteuil, sale sorcière !

Pénélope a un sourire mystérieux :

— Je le sais. Je ne suis pas née de la dernière pluie, Pygmalion. Et je sais également que, si je détruis ton cœur, tu vas cesser de faire le mal.

— Non ! Tu n'as pas le droit ! Je suis le grand Pygmalion ! Le Krashmal le plus terrible !

— Plus maintenant, fait Pénélope. Ton règne de terreur est terminé.

Elle lance le bocal de toutes ses forces contre le mur. Il explose en mille morceaux, et le cœur qu'il contient s'écrase comme un fruit trop mûr.

Soudain, Pygmalion pousse un râle épouvantable. Son visage se creuse et se ratatine. Il se dessèche sous les yeux

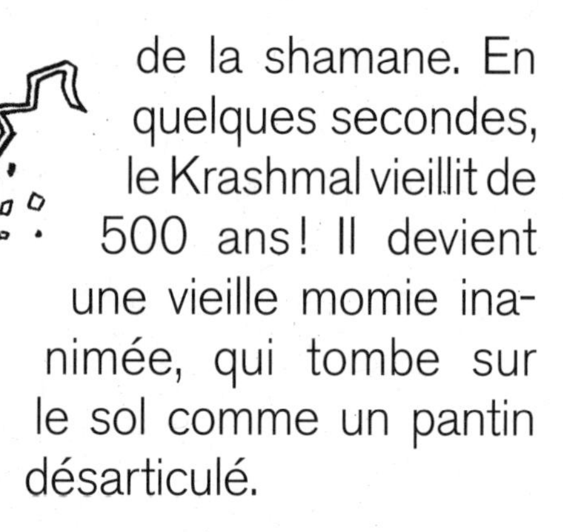

de la shamane. En quelques secondes, le Krashmal vieillit de 500 ans ! Il devient une vieille momie inanimée, qui tombe sur le sol comme un pantin désarticulé.

Dehors, au moment précis où le totem va frapper Lumina de son bec acéré, la statue se fige, penchée sur sa proie.

— Le monstre ! Il s'est arrêté ! remarque faiblement Mistral.

Chapitre 5

Une fois le totem neutralisé, Gaïa court s'occuper de Magma tandis que Lumina aide son frère à se relever. Shlaq et Fiouze en profitent pour prendre la fuite.

Les Sentinelles rentrent au quartier général. Magma est envoyé à l'infirmerie, où il est soigné par Pénélope. Il reprend lentement ses esprits.

Gaïa prend Xavier par l'épaule:

– Tu as pris un grand risque, toi. Narguer un Krashmal, c'est très dangereux.

Le garçon sourit :

– N'oublie pas que j'ai des ancêtres karmadors ! Et de toute façon, ma mère était là pour me protéger. Elle n'aurait jamais laissé Pygmalion faire du mal à ses enfants !

Gaïa sourit à son tour. Elle se penche pour examiner les restes rabougris de Pygmalion.

– Alors, qu'est-ce qu'on fait avec ça ? demande Mistral en se mettant une compresse d'eau froide sur le front.

– Demain, nous l'enverrons au laboratoire des Karmadors. Je suis sûre que nos médecins et nos chercheurs seront contents d'examiner enfin le fameux Pygmalion. Et quand ils auront fini, j'imagine qu'un jour ils placeront la momie au musée des Karmadors.

– Tu crois qu'il est mort ?

– Je n'en ai aucune idée. Peut-être qu'il est simplement dans un coma profond. J'ai lu des choses étonnantes sur la physiologie krashmale.

Xavier, le cahier de cuir sous le bras, examine la momie à son tour:

— C'est trop cool! On dirait quelque chose sorti d'un vieux film d'épouvante.

— Tant qu'il ne revient pas me hanter! lance Mistral en quittant la pièce.

Mathilde rejoint son frère en désignant le cahier du doigt:

— Tu as fini avec mon journal intime? Déjà que Pygmalion a failli te le prendre. Je ne veux quand même pas que tu le lises!

— Il y a longtemps que je l'ai lu! la taquine Xavier.

— Petite peste! Attends que je t'attrape!

Mathilde court après Xavier à travers la maison.

ϟϟϟ

À la maison du maire, Shlaq est découragé.

— Satané Pygmalion! Il s'est fait avoir comme un débutant! À quoi ça sert d'avoir 500 ans si c'est pour se faire piéger par des enfants!

Fiouze lève une main timide:

– Ces enfants nous ont déjoués nous ausssi, votre altessse.

Shlaq répond en crachant de la fumée noire:

– Shlaq n'a pas dit son dernier mot! Il est prêt à mettre son orgueil de côté pour demander de l'aide.

– À qui allez-vous vous adresser, patron?

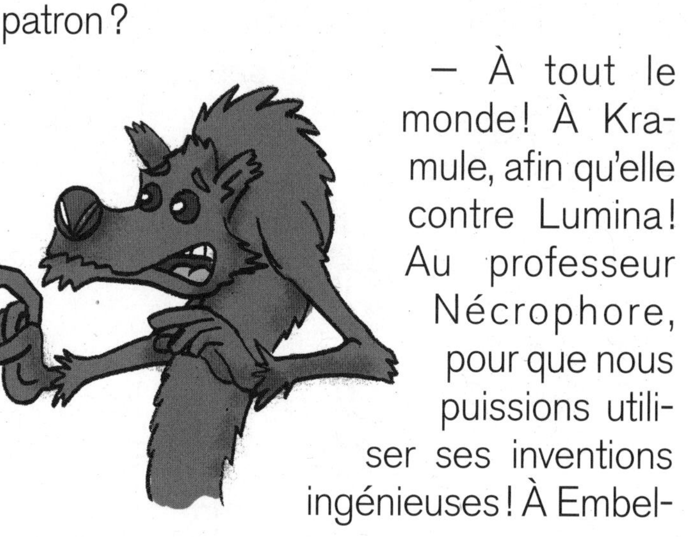

– À tout le monde! À Kramule, afin qu'elle contre Lumina! Au professeur Nécrophore, pour que nous puissions utiliser ses inventions ingénieuses! À Embellena, qui a le pouvoir de se métamorphoser! Et à Yak, qui peut téléporter les autres Krashmals.

— Et à Riù ausssi, j'imagine?

— Non, pas lui. C'est un idiot et un incompétent. Tout comme toi, d'ailleurs!

— Merci, votre altessse.

ϟϟϟ

Le lendemain matin, à la ferme, sur le perron, Thomas se remet difficilement de son aventure. Il ne porte pas ses lunettes et doit cligner des yeux pour distinguer ce qui l'entoure.

Julie est assise à côté de lui.

Comme toutes les tasses ont été brisées par le sifflement de Mistral, Thomas boit son café dans un gobelet de métal. Il ne le trouve pas assez chaud à son goût, alors il se concentre pour réchauffer le contenant... mais il ne réussit pas.

– Mon pouvoir ne fonctionne plus, remarque-t-il avec tristesse. Et le sifflement de Mistral a cassé toutes mes paires de lunettes!

Julie lui met une main sur l'épaule:

– Laisse-toi le temps de guérir. Tu as repoussé tes limites, hier soir. Sans toi, Gorgon nous aurait terrassés. Tu as besoin de repos.

Thomas pousse un grand soupir:

– Si je n'ai plus de pouvoir, je ne peux plus être le chef des Sentinelles. Serais-tu prête à me remplacer?

Julie est surprise par cette question. Mais avant qu'elle puisse répondre, une silhouette arrive devant la ferme à une vitesse époustouflante.

Il s'agit de Zoomba, la messagère du Grand Conseil des Karmadors. La jeune femme, qui porte un costume violet et argent, peut courir aussi vite qu'une voiture de course sans même s'essouffler. Elle sillonne le continent pour assurer la livraison de colis importants entre Karmadors.

— Zoomba ! Il y a longtemps que nous nous sommes vues ! s'exclame Julie, heureuse de retrouver son ancienne amie de l'Académie des Karmadors.

— Salut Julie ! Salut Thomas ! Je suis venue

chercher le journal de Pyros. STR a décidé de le placer en sécurité au quartier général des Karmadors.

– Xavier sera content de savoir qu'il ne sera pas détruit, dit Thomas en tendant le vieux cahier de cuir à Zoomba.

La Karmadore violette et argentée remarque le totem, figé dans une position d'attaque, avec le bec ouvert et les ailes prêtes à saisir quelqu'un.

– Eh bien, voilà une sculpture qui a l'air méchante ! lance-t-elle.

– Si tu savais ! répond Julie en faisant un clin d'œil à Thomas. Nous nous sommes battus contre elle hier soir.

– Vous, les Sentinelles, on dirait qu'il vous arrive toujours des aventures incroyables ! Bon, il faut que j'y aille, STR m'attend ! À bientôt ! fait Zoomba.

La Karmadore soulève un nuage de poussière en détalant comme un bolide.

Une fois Zoomba disparue à l'horizon,

Thomas se tourne vers Julie:

— Tu ne m'as pas répondu. Es-tu prête à me remplacer comme chef des Sentinelles? J'ai besoin de savoir que je peux compter sur toi.

Julie hésite. Elle n'a jamais voulu être chef et elle déteste être le centre de l'attention. Cependant, elle est prête à tout pour aider son ami:

— Oui. Mais seulement jusqu'à ce que tu retrouves ton pouvoir.

— Merci. Tu sais, il est possible que je ne le retrouve jamais, répond Thomas.

Table des matières

Dans le prochain numéro...

La visite de Kramule

Dans une petite ville, quatre Karmadors protègent les citoyens contre les méchants Krashmals. Ce sont les Karmadors de la brigade des Sentinelles !

Shlaq a lancé un appel à tous les Krashmals afin qu'ils lui viennent en aide ! Embellena, Yak et la mystérieuse Kramule lui prêtent main-forte dans le but de vaincre les Sentinelles une fois pour toutes et de leur voler le médaillon de Mathilde.

Les Karmadors, de leur côté, tentent d'élucider le mystère du maire Frappier, remplacé par un robot contrôlé par Shlaq. Et Magma, qui a perdu son pouvoir, travaille dans son laboratoire pour trouver un remède à son problème.

Mené par une folle envie de commettre un vol, Fiouze provoquera une série d'événements qui bouleverseront la vie de nos héros.